ISBN : 2-7459-0471-X
Dépôt légal : 3e trimestre 2001

Impression et reliure : Pollina s.a., 85400 Luçon - n° L84698
Réalisation infographique : Tuaregs

*De nombreuses personnes m'ont aidé à faire ces images. Je ne suis pas en mesure de les nommer toutes, pardon.
Je vais cependant en désigner quelques-unes, par ordre d'entrée en scène : Anne-Lise Kœlher, Bénédicte Galup, Éric Serre, Pascal Lemaire, Christophe Lourdelet, Valérie David, Thierry Million.
Khalil Rachid, assisté d'Ivan Bonometti et Pascal Dierckens, a assuré la mise au point numérique des illustrations.
Merci à ces personnes, et à toutes les autres.*
Michel Ocelot

KIRIKOU
et la sorcière

Michel OCELOT

Dans une case, une femme attend. Tout à coup, une petite voix sort de son ventre rond :

– Mère, enfante-moi !

La mère répond calmement :

– Un enfant qui parle dans le ventre de sa mère s'enfante tout seul.

Un bébé minuscule apparaît.

– Je m'appelle Kirikou. Mère, lave-moi !

– Un enfant qui s'enfante lui-même se lave tout seul.

Kirikou saute dans une calebasse et éclabousse joyeusement autour de lui.

– Ne gaspille pas l'eau. Karaba la Sorcière a asséché notre source. Elle a dévoré ton père et tous les hommes du village. Seul ton oncle est resté. Il est sur la Route des Flamboyants, allant combattre Karaba la Sorcière.

– Alors je dois aller l'aider ! s'écrie Kirikou…

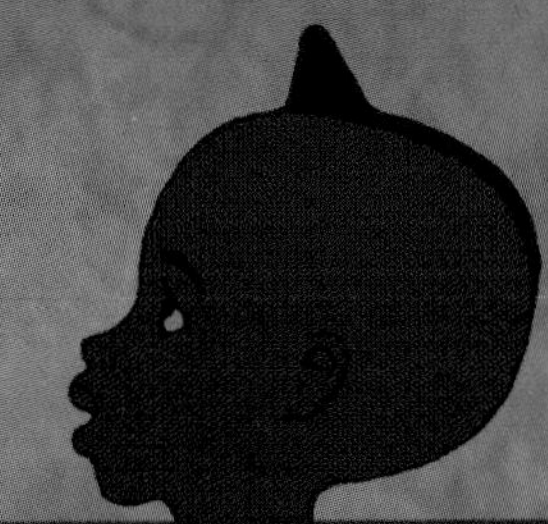

Sur ses petites jambes qui vont à toute vitesse, Kirikou file sur la Route des Flamboyants. Il rejoint son oncle, le dépasse et lui fait face :
– Bonjour, mon oncle, je suis Kirikou, ton neveu. Je viens t'aider à combattre Karaba la Sorcière.
L'oncle ne veut pas croire que ce petit bonhomme est son neveu et il refuse qu'un si jeune enfant vienne avec lui. Alors Kirikou repart à toute allure vers le village. L'oncle est satisfait.
Peu après, il trouve un chapeau sur sa route. Il s'en coiffe, sans se méfier : Kirikou est caché dedans ! Mais il est trop tard pour le faire descendre, car l'immense case noire de Karaba la Sorcière se dresse devant eux.

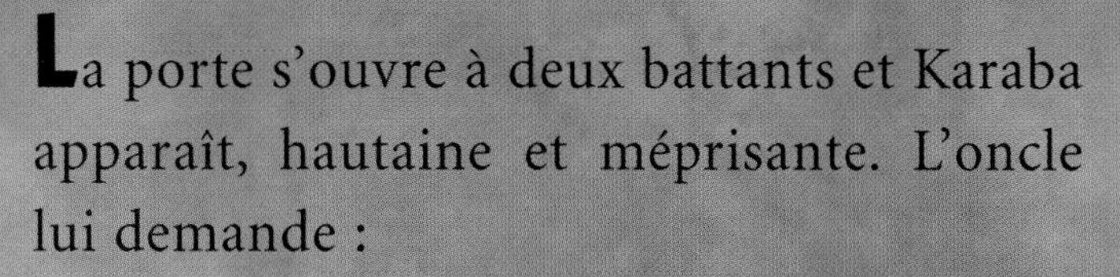

La porte s'ouvre à deux battants et Karaba apparaît, hautaine et méprisante. L'oncle lui demande :

– Quel est ton prix pour épargner notre village, pour arrêter de nous assoiffer et de nous rançonner ?

Pendant qu'il parle, les fétiches-esclaves de la sorcière s'avancent doucement derrière lui pour le tuer. Mais Kirikou, caché dans le chapeau, voit tout et prévient son oncle, qui abat les fétiches.

– Je laisserai tranquille ton village si tu me donnes ton chapeau magique, déclare la sorcière.

L'oncle finit par accepter et s'en va en laissant le chapeau à terre. Mais lorsque le fétiche s'avance pour le saisir, le chapeau se sauve, avec les petites jambes de Kirikou !

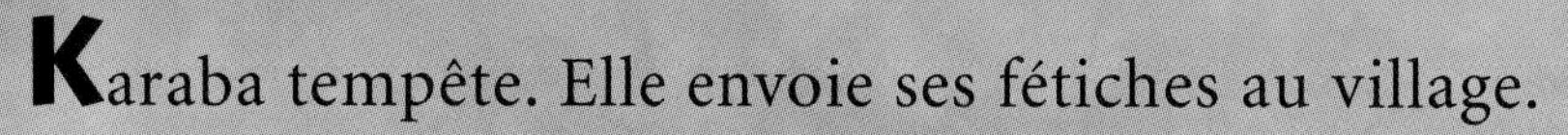

Karaba tempête. Elle envoie ses fétiches au village.

– Les femmes ne nous ont pas donné tout leur or, proclament-ils. Malheur à celle qui a gardé une seule pépite !

Une à une, les cases sont fouillées. Silencieuses, les femmes du village attendent. Le fétiche-au-nez-d'or renifle, fait un signe. Les autres le rejoignent, creusent et trouvent un collier d'or. Les fétiches sortent alors de la case, le collier dans les mains. L'un d'eux déroule sa trompe vers la case, prend une longue inspiration…

– Non !!!

Épouvantée, la femme au collier implore, en vain : le fétiche crache une longue langue de feu. La case s'embrase en quelques secondes, tandis que la femme hurle de désespoir.

La vie continue au village. Les femmes travaillent, les enfants jouent dans la rivière et ne pensent plus à Karaba la Sorcière – sauf Kirikou. Quand il voit une pirogue vide arriver et s'arrêter toute seule devant les enfants, il s'écrie :

– Ne montez pas, c'est un piège de la sorcière !

Les enfants se moquent de lui et grimpent tous à bord. Alors la pirogue repart dans l'autre sens et les emporte à une allure infernale vers la sorcière. Vite, Kirikou s'empare d'un poignard, rejoint la pirogue et transperce la coque. La pirogue coule lentement et les enfants, sauvés, regagnent la berge en barbotant.

Karaba voit arriver au fond de l'eau une pirogue vide. Elle écume de rage. Kirikou est petit, mais il peut beaucoup.

À la queue leu leu derrière Kirikou, les enfants retournent au village en passant par la forêt. Brusquement, Kirikou s'arrête : un arbre noir aux fruits roses se dresse au milieu du chemin. Les enfants s'exclament :

– Oh ! le bel arbre ! On ne l'avait jamais vu !

– Alors n'approchez pas ! s'écrie Kirikou.

Mais personne ne veut l'écouter. En un instant, les enfants grimpent dans l'arbre. Ils chantent, ils rient et se moquent du petit Kirikou.

Tout à coup, les branches se referment sur eux, comme les barreaux d'une cage. Les racines se mettent à onduler comme des serpents, et l'arbre s'élance, emportant les enfants vers Karaba la Sorcière.

Les enfants emprisonnés hurlent d'épouvante. L'arbre ensorcelé file vers Karaba.

Kirikou trouve un coupe-coupe, court à toute vitesse, bondit sur les racines de l'arbre et entaille le tronc.

– Secouez-vous ! Secouez l'arbre ! hurle-t-il aux enfants.

L'arbre oscille, le tronc craque et les branches s'ouvrent d'un coup, libérant les enfants qui tombent à terre, sains et saufs.

Karaba la Sorcière voit arriver un bout de tronc sans branches – et sans enfants. Elle trépigne de colère.

Kirikou n'est pas grand, mais il est vaillant.

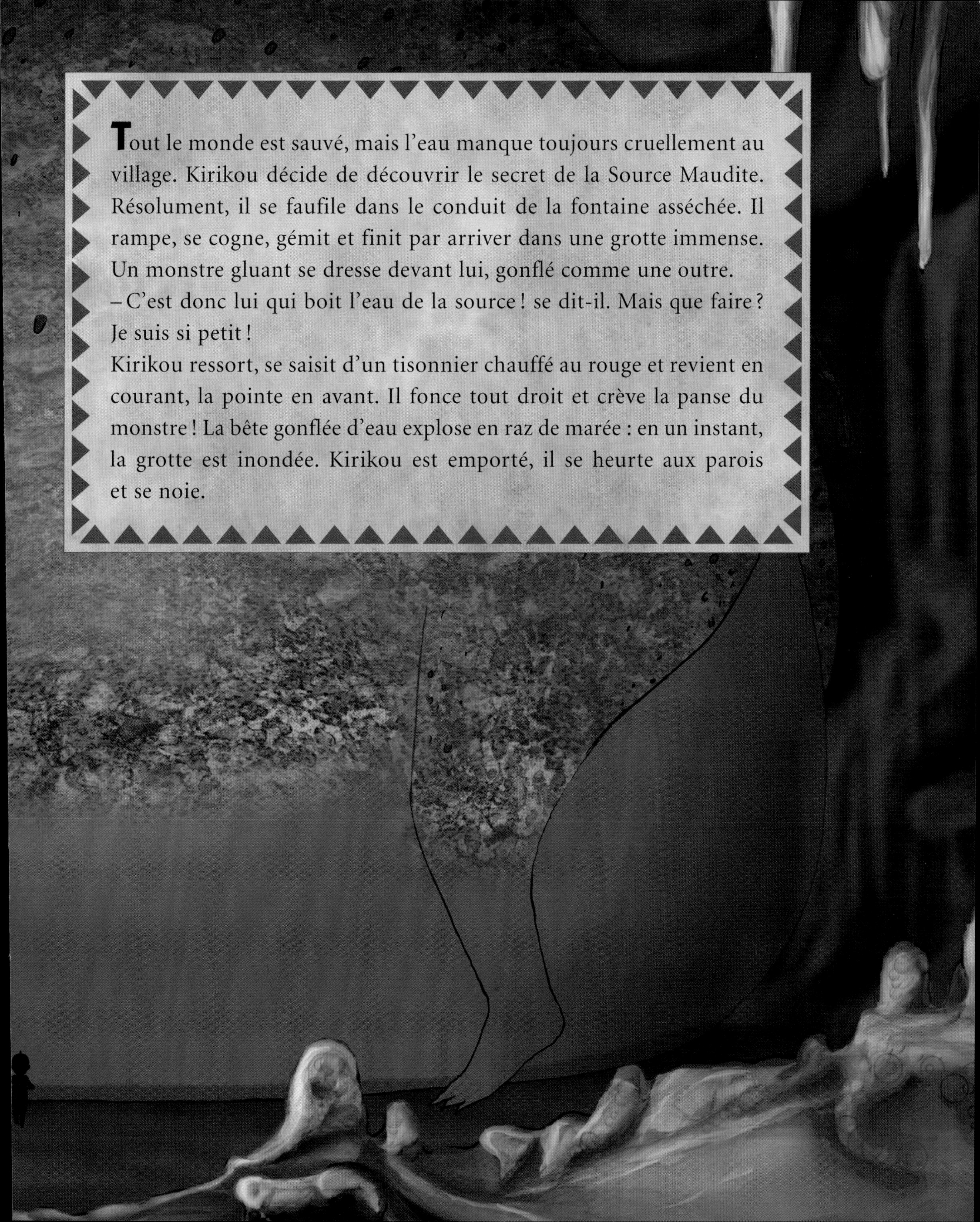

Tout le monde est sauvé, mais l'eau manque toujours cruellement au village. Kirikou décide de découvrir le secret de la Source Maudite. Résolument, il se faufile dans le conduit de la fontaine asséchée. Il rampe, se cogne, gémit et finit par arriver dans une grotte immense. Un monstre gluant se dresse devant lui, gonflé comme une outre.
– C'est donc lui qui boit l'eau de la source ! se dit-il. Mais que faire ? Je suis si petit !
Kirikou ressort, se saisit d'un tisonnier chauffé au rouge et revient en courant, la pointe en avant. Il fonce tout droit et crève la panse du monstre ! La bête gonflée d'eau explose en raz de marée : en un instant, la grotte est inondée. Kirikou est emporté, il se heurte aux parois et se noie.

L'eau est revenue ! Mais la joie au village est de courte durée. Dans la fontaine flotte le petit corps sans vie du vaillant Kirikou. Sa mère le prend dans ses bras, le serre contre sa poitrine et se met à chanter à voix basse. Les villageois, penchés sur l'enfant, reprennent doucement cette chanson avec elle. C'est alors qu'une petite toux les interrompt : Kirikou est vivant !

– J'ai gagné ! dit Kirikou d'une voix cassée.

– Il a gagné ! hurlent les villageois.

Tout le monde danse et chante de joie :

Kirikou est petit, mais il peut beaucoup !
Kirikou n'est pas grand, mais il est vaillant !
Kirikou nous libère, malgré la sorcière !

– Repose-toi, lui dit sa mère. Kirikou a combattu la sorcière et rendu l'eau au village, mais cela ne lui suffit pas :

– Mère, pourquoi Karaba est-elle méchante ?

– Je ne sais pas. Seul le Sage dans la Montagne pourrait répondre à cette question.

– Qui est-ce ?

– Ton grand-père.

– Où vit-il ?

– De l'autre côté de la Montagne Interdite, sous la Grande Termitière. Mais Karaba ne laisse passer personne.

– Et si j'avais une idée, tu m'aiderais ? demande Kirikou.

– Oui, répond sa mère.

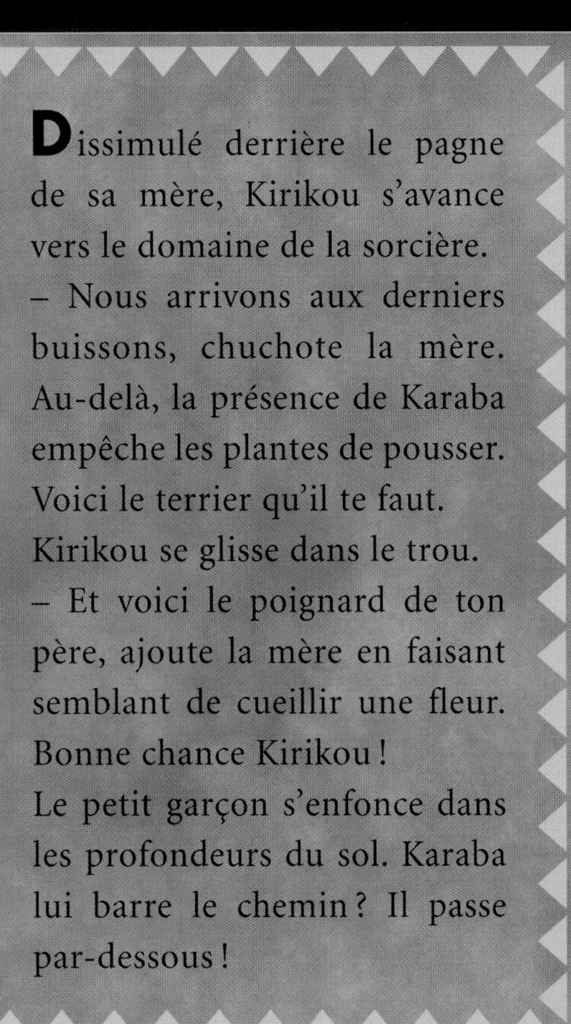

Dissimulé derrière le pagne de sa mère, Kirikou s'avance vers le domaine de la sorcière.

– Nous arrivons aux derniers buissons, chuchote la mère. Au-delà, la présence de Karaba empêche les plantes de pousser. Voici le terrier qu'il te faut.

Kirikou se glisse dans le trou.

– Et voici le poignard de ton père, ajoute la mère en faisant semblant de cueillir une fleur. Bonne chance Kirikou !

Le petit garçon s'enfonce dans les profondeurs du sol. Karaba lui barre le chemin ? Il passe par-dessous !

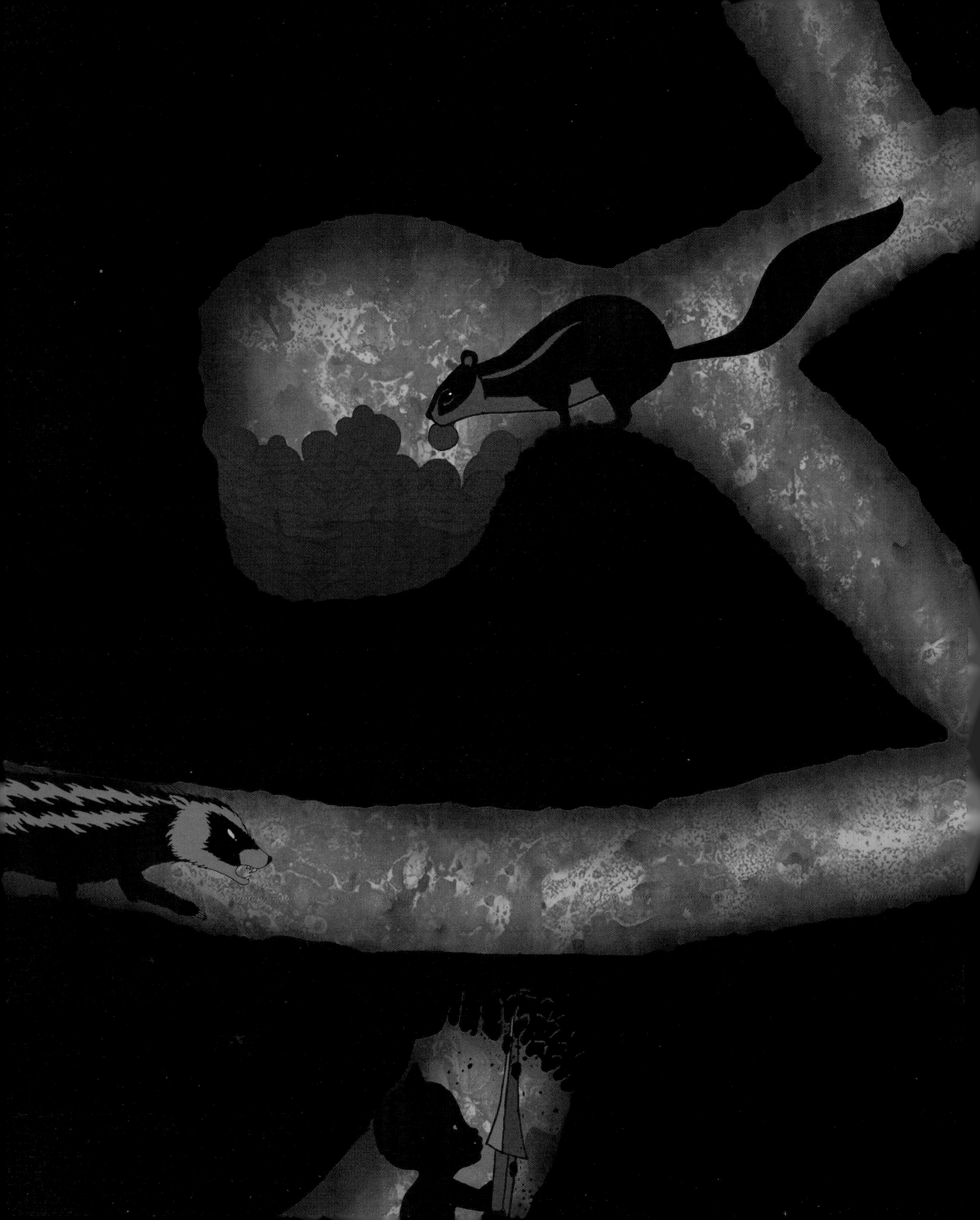

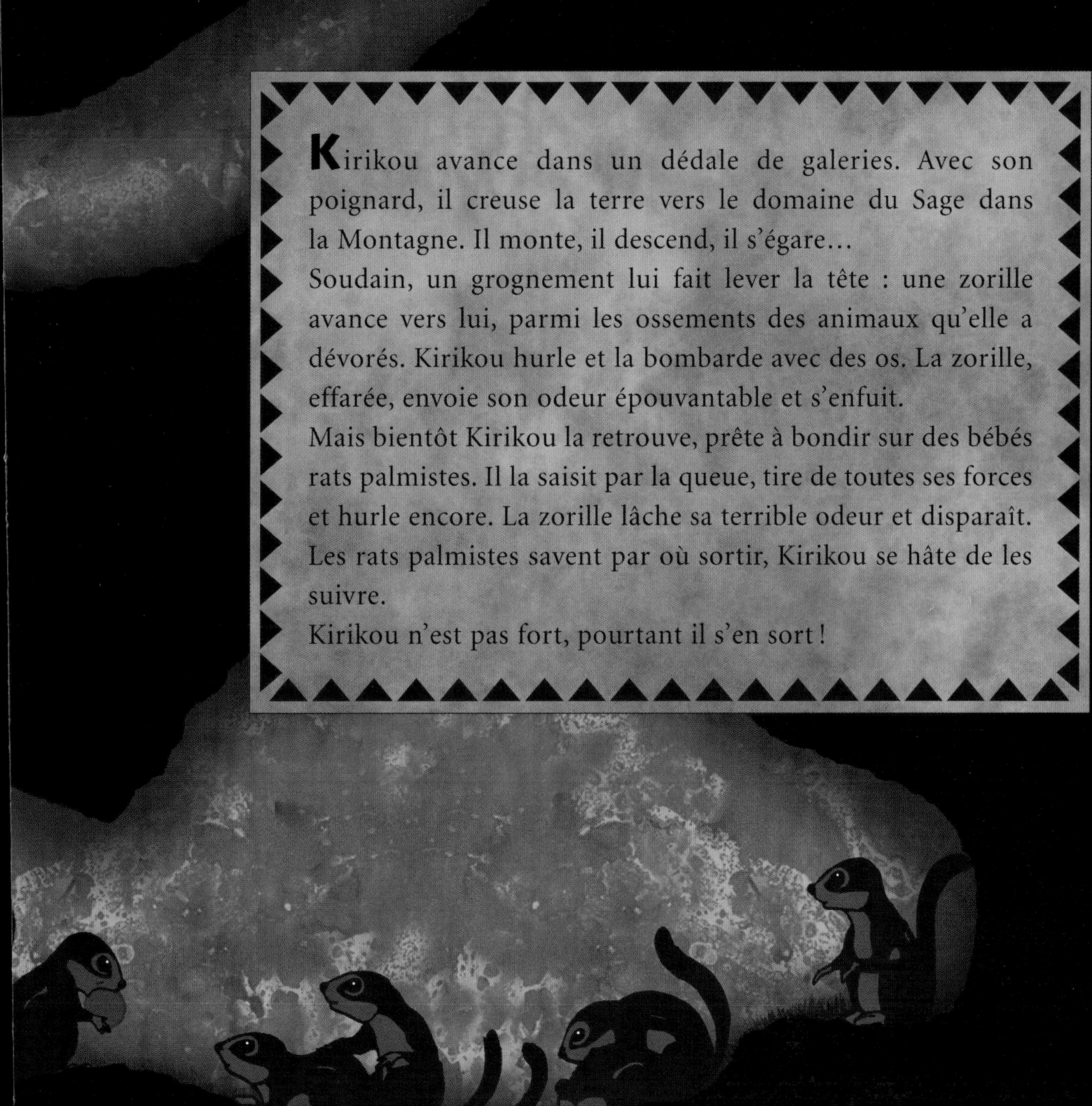

Kirikou avance dans un dédale de galeries. Avec son poignard, il creuse la terre vers le domaine du Sage dans la Montagne. Il monte, il descend, il s'égare…
Soudain, un grognement lui fait lever la tête : une zorille avance vers lui, parmi les ossements des animaux qu'elle a dévorés. Kirikou hurle et la bombarde avec des os. La zorille, effarée, envoie son odeur épouvantable et s'enfuit.
Mais bientôt Kirikou la retrouve, prête à bondir sur des bébés rats palmistes. Il la saisit par la queue, tire de toutes ses forces et hurle encore. La zorille lâche sa terrible odeur et disparaît.
Les rats palmistes savent par où sortir, Kirikou se hâte de les suivre.
Kirikou n'est pas fort, pourtant il s'en sort !

Enfin Kirikou débouche au grand air ! Prudemment, il se tapit derrière un arbre. Au loin, il aperçoit la case de la sorcière. Il a réussi, il est de l'autre côté ! Mais comment sortir de sa cachette sans être vu par Karaba ?
Tout près de lui, une huppe vient se poser.
– Je vais me déguiser...
Kirikou se met à assembler fleurs, feuilles et brindilles, et le voilà devenu oiseau vert, un poignard en guise de bec. Son déguisement est tellement réussi que la huppe tourne autour de lui en roucoulant ! Kirikou s'inquiète :
– Elle va me faire découvrir !
L'oiseau insiste. Alors Kirikou attaque. Ils se battent à coups de bec, mais la huppe est la plus forte. Soudain, Kirikou bondit sur son dos et s'agrippe résolument. L'oiseau n'a plus le choix : il s'envole tant bien que mal.
Kirikou n'est pas lourd, il s'échappe toujours !

La huppe, épuisée, atterrit de l'autre côté de la montagne, où le fétiche perché sur la case de Karaba ne peut plus les voir. Kirikou saute à terre et l'oiseau s'enfuit. Mais un redoutable phacochère surgit et fonce sur Kirikou. Heureusement, Kirikou court très vite. L'animal le poursuit avec acharnement. Ils se mettent à tourner autour d'un grand rocher. Mais voilà que Kirikou rattrape le phacochère par-derrière, saute sur son dos et lui tire les oreilles ! Le phacochère grogne de douleur car c'est son point sensible. Tenu par les oreilles, il devient aussi obéissant qu'un cheval et emmène Kirikou jusqu'à la Grande Termitière.

Kirikou n'est pas grand, mais c'est un géant !

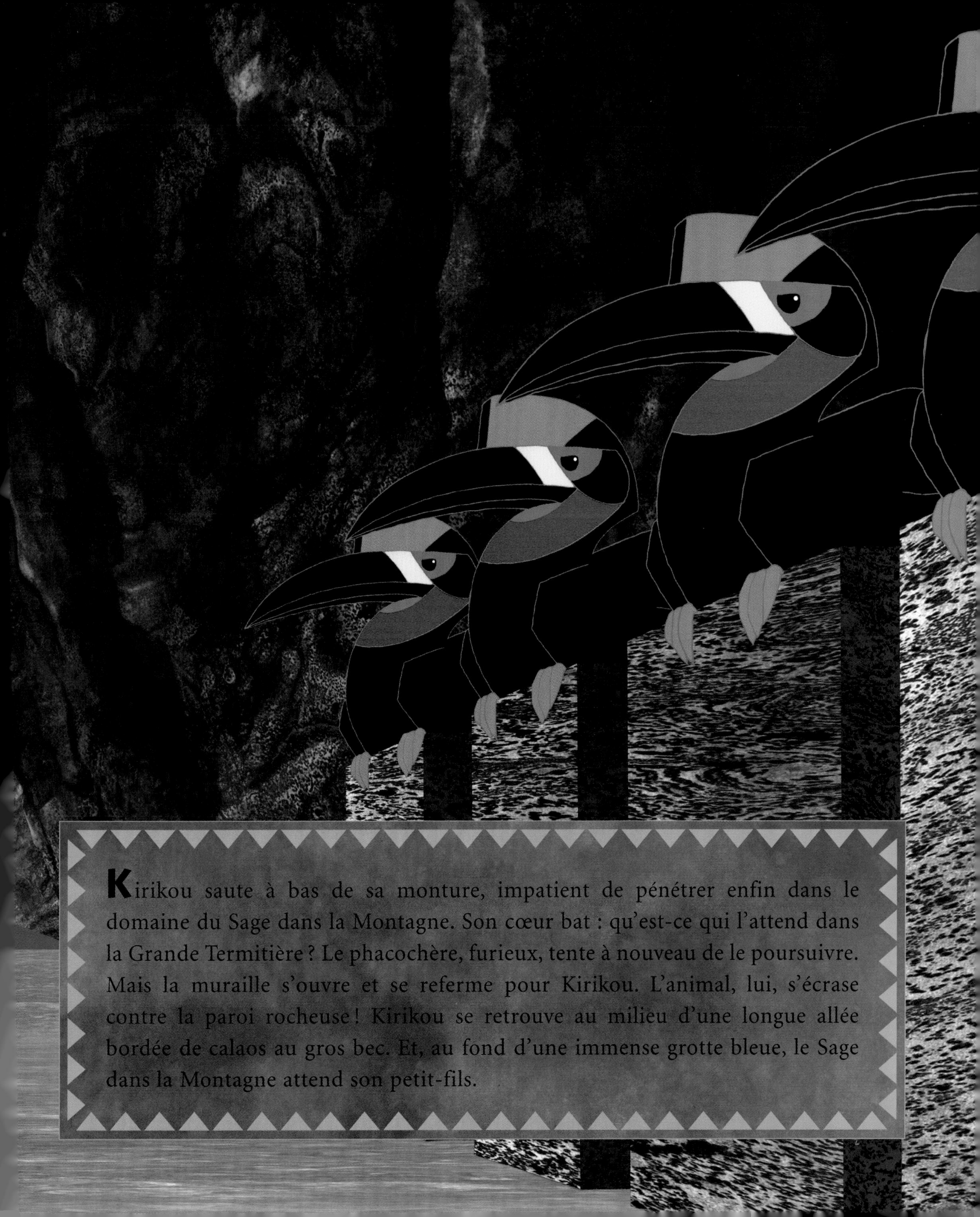

Kirikou saute à bas de sa monture, impatient de pénétrer enfin dans le domaine du Sage dans la Montagne. Son cœur bat : qu'est-ce qui l'attend dans la Grande Termitière ? Le phacochère, furieux, tente à nouveau de le poursuivre. Mais la muraille s'ouvre et se referme pour Kirikou. L'animal, lui, s'écrase contre la paroi rocheuse ! Kirikou se retrouve au milieu d'une longue allée bordée de calaos au gros bec. Et, au fond d'une immense grotte bleue, le Sage dans la Montagne attend son petit-fils.

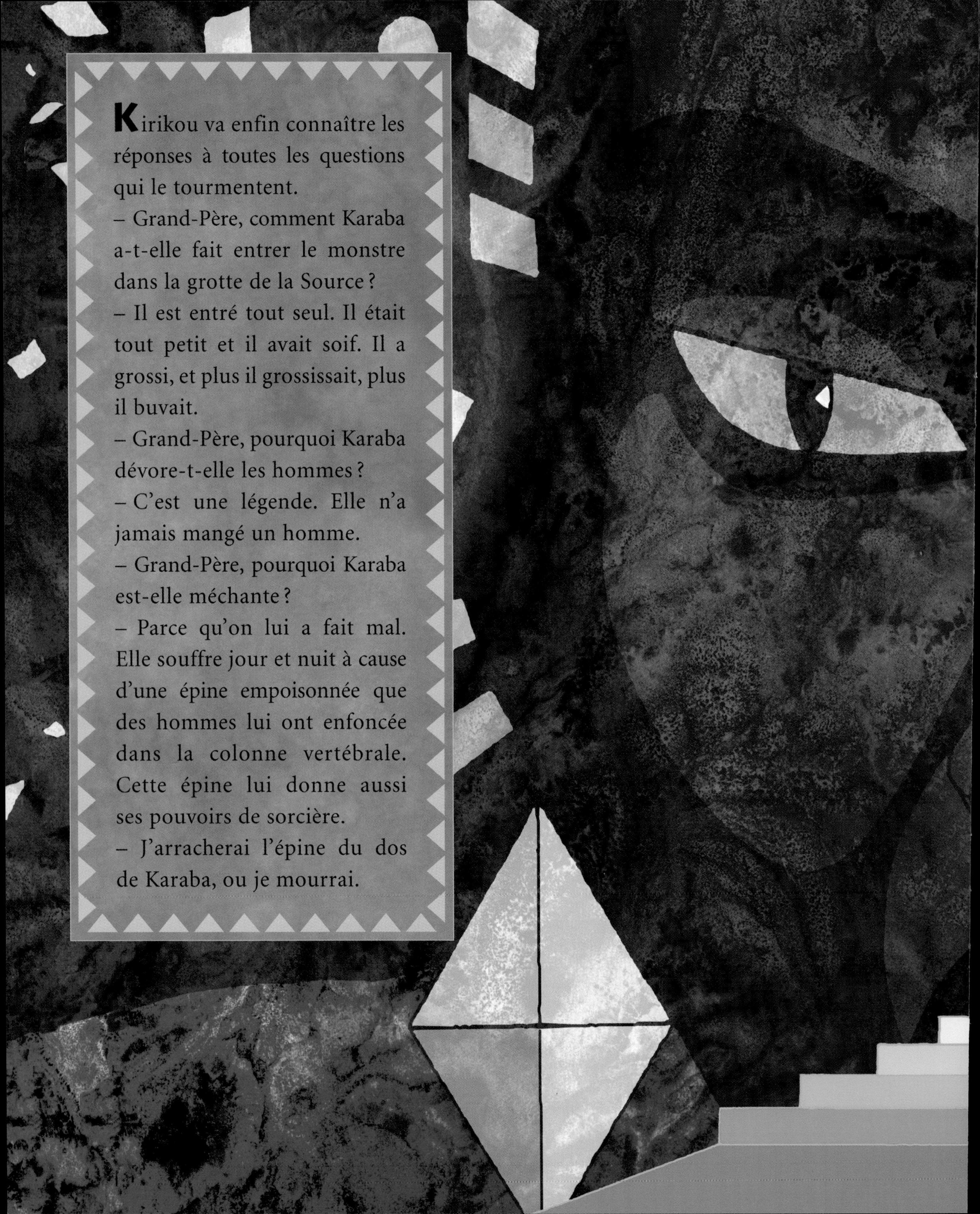

Kirikou va enfin connaître les réponses à toutes les questions qui le tourmentent.

– Grand-Père, comment Karaba a-t-elle fait entrer le monstre dans la grotte de la Source ?

– Il est entré tout seul. Il était tout petit et il avait soif. Il a grossi, et plus il grossissait, plus il buvait.

– Grand-Père, pourquoi Karaba dévore-t-elle les hommes ?

– C'est une légende. Elle n'a jamais mangé un homme.

– Grand-Père, pourquoi Karaba est-elle méchante ?

– Parce qu'on lui a fait mal. Elle souffre jour et nuit à cause d'une épine empoisonnée que des hommes lui ont enfoncée dans la colonne vertébrale. Cette épine lui donne aussi ses pouvoirs de sorcière.

– J'arracherai l'épine du dos de Karaba, ou je mourrai.

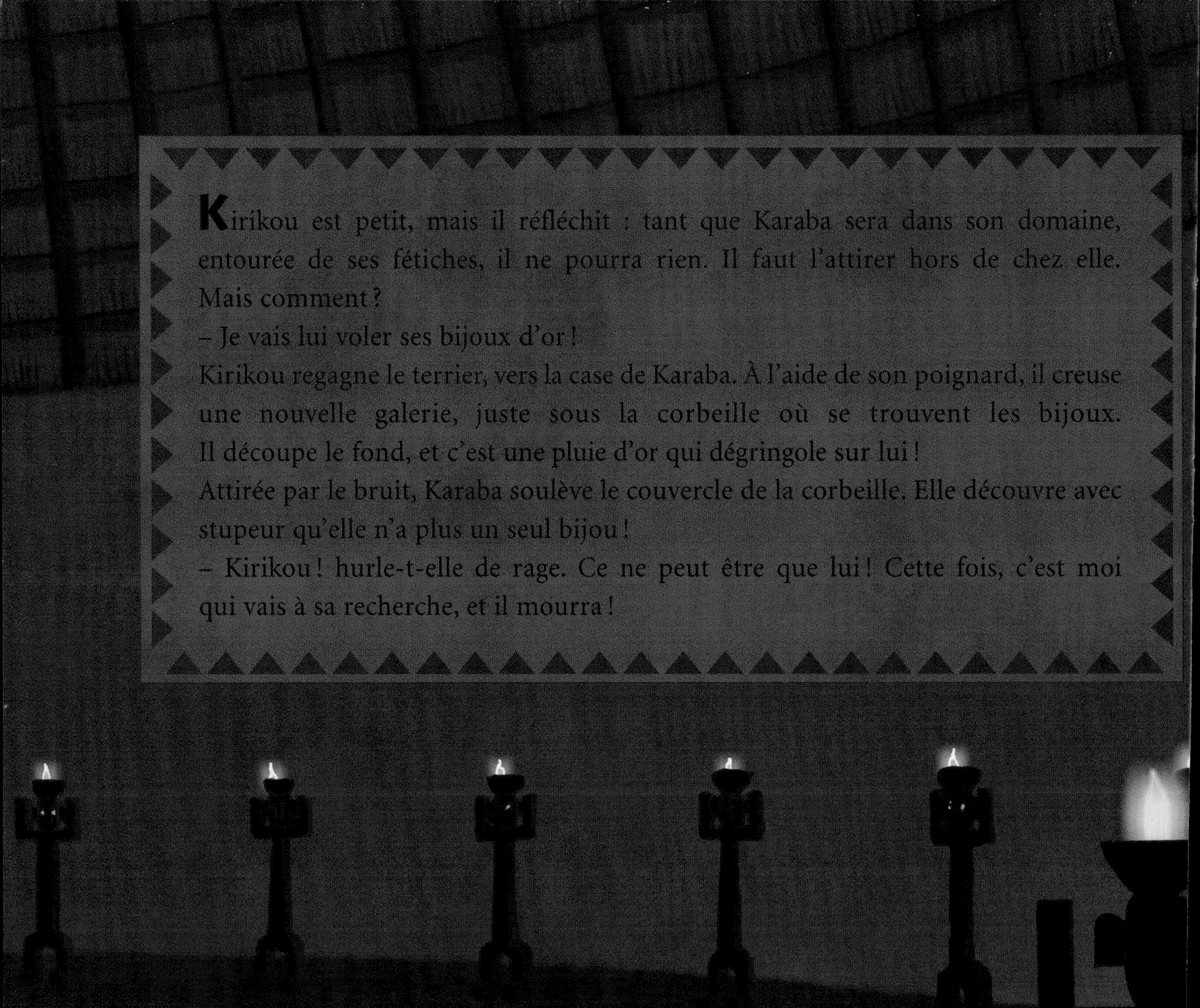

Kirikou est petit, mais il réfléchit : tant que Karaba sera dans son domaine, entourée de ses fétiches, il ne pourra rien. Il faut l'attirer hors de chez elle. Mais comment ?

– Je vais lui voler ses bijoux d'or !

Kirikou regagne le terrier, vers la case de Karaba. À l'aide de son poignard, il creuse une nouvelle galerie, juste sous la corbeille où se trouvent les bijoux. Il découpe le fond, et c'est une pluie d'or qui dégringole sur lui !

Attirée par le bruit, Karaba soulève le couvercle de la corbeille. Elle découvre avec stupeur qu'elle n'a plus un seul bijou !

– Kirikou ! hurle-t-elle de rage. Ce ne peut être que lui ! Cette fois, c'est moi qui vais à sa recherche, et il mourra !

Kirikou se dépêche. Il s'enfonce dans la forêt, creuse au pied de l'arbre fromager, y cache les bijoux et disparaît. Il est temps ! Karaba survient à grands pas : ses pagnes volent au vent, ses bijoux scintillent. À son approche, les plantes se dessèchent et meurent.

Karaba s'agenouille au pied de l'arbre et fouille rageusement la terre de ses mains nues. Autour d'elle, les fleurs se fanent, les feuilles tombent.
Juste au-dessus d'elle, Kirikou, perché sur une branche, l'observe. Au milieu du dos de la sorcière, l'épine empoisonnée dépasse légèrement. En un éclair, Kirikou se jette sur Karaba et arrache l'épine avec ses dents. La sorcière pousse un hurlement abominable, paralysant d'effroi la forêt, la savane, le village.

Puis c'est le silence. Petit à petit, les oiseaux se remettent à chanter, les arbres reverdissent, de nouvelles fleurs s'épanouissent. La forêt revient à la vie. Karaba ouvre les yeux : elle ne souffre plus.

– Kirikou, comment te prouver ma reconnaissance ? demande la sorcière d'une voix sereine.

– Épouse-moi.

Karaba sourit et explique à Kirikou qu'un petit garçon ne peut pas épouser une grande dame.

– Voudrais-tu poser tes lèvres sur les miennes ? demande Kirikou.

– Mais… oui, je veux bien, répond la jeune femme.

Karaba se penche doucement vers
Kirikou et lui donne un baiser. Alors…

Kirikou grandit ! Il pousse, se transforme et devient un magnifique guerrier !
– Tu vois, tu n'as pas perdu tous tes pouvoirs, dit doucement Kirikou.

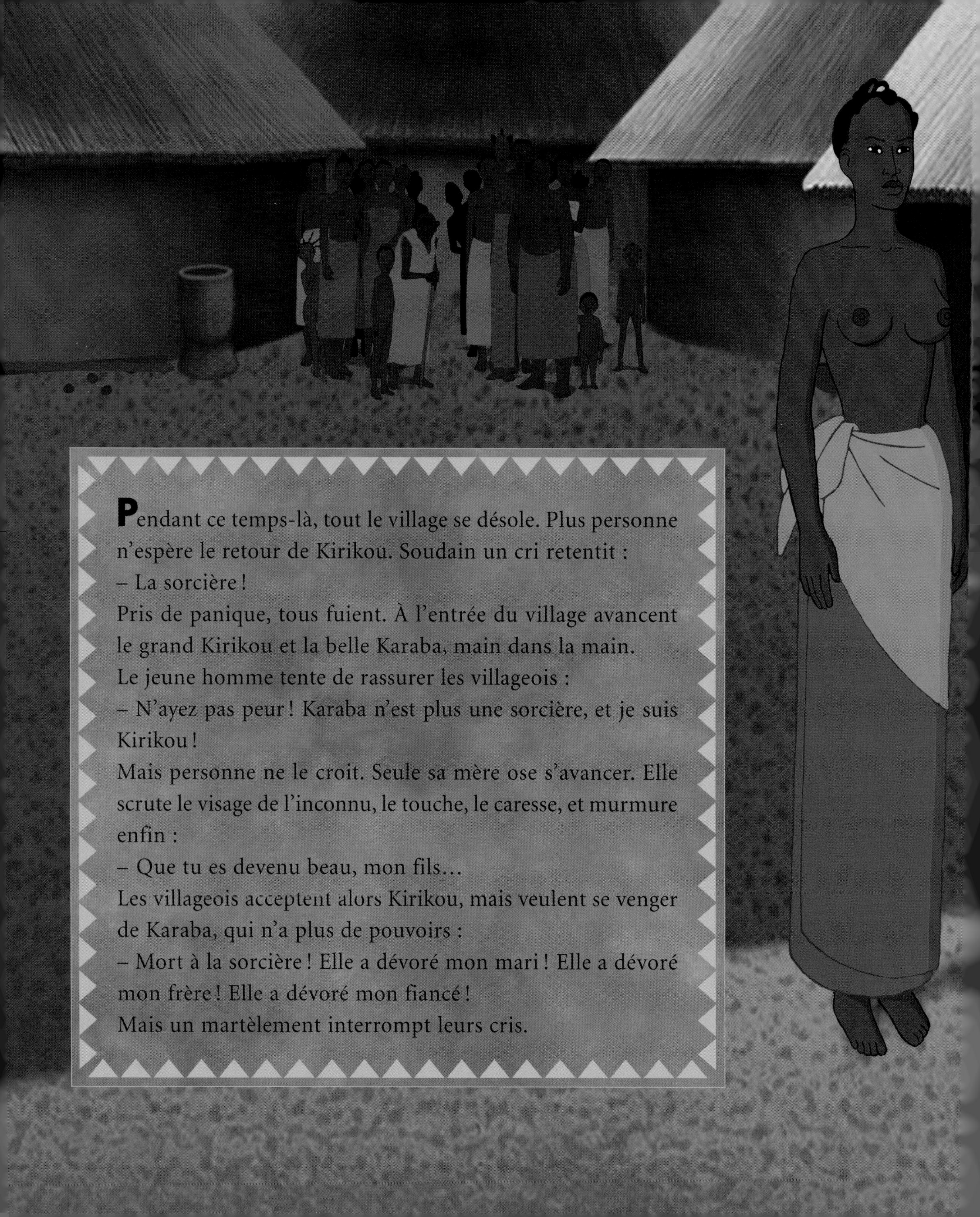

Pendant ce temps-là, tout le village se désole. Plus personne n'espère le retour de Kirikou. Soudain un cri retentit :

– La sorcière !

Pris de panique, tous fuient. À l'entrée du village avancent le grand Kirikou et la belle Karaba, main dans la main.

Le jeune homme tente de rassurer les villageois :

– N'ayez pas peur ! Karaba n'est plus une sorcière, et je suis Kirikou !

Mais personne ne le croit. Seule sa mère ose s'avancer. Elle scrute le visage de l'inconnu, le touche, le caresse, et murmure enfin :

– Que tu es devenu beau, mon fils…

Les villageois acceptent alors Kirikou, mais veulent se venger de Karaba, qui n'a plus de pouvoirs :

– Mort à la sorcière ! Elle a dévoré mon mari ! Elle a dévoré mon frère ! Elle a dévoré mon fiancé !

Mais un martèlement interrompt leurs cris.

Porté sur un palanquin, le Sage approche, entouré de joueurs de tam-tam. Ce sont les hommes du village que Karaba avait transformés en fétiches. Toute la troupe avance en dansant et chantant :

Kirikou nous a sauvés.
Gloire à Kirikou !
Nous étions des fétiches,
Nous sommes les hommes !
Nous sommes les pères, nous sommes les fils,
Nous sommes les maris, nous sommes les amis.
Et tous nous revenons
Vers ceux que nous aimons !

Le village est désormais réuni. Mères, fils, épouses, maris, enfants se précipitent et s'étreignent autour du couple magnifique, Karaba et Kirikou, et c'est la paix…